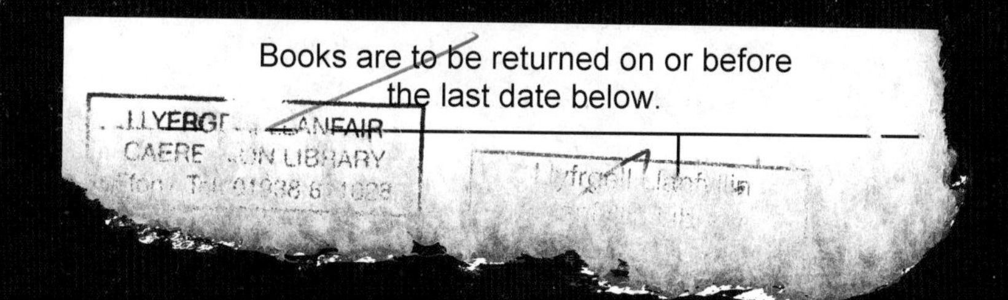

SUDDO!

Meinir Wyn Edwards a Sioned Glyn

Argraffiad cyntaf: 2013

Cyhoeddwyd dan nawdd
Cynllun Adnoddau Addysgu a Dysgu CBAC
Noddwyd gan Lywodraeth Cymru

Cynllun y clawr: Sioned Glyn

Rhif Llyfr Rhyngwladol: 978 1 84771 594 4

Cyhoeddwyd ac argraffwyd yng Nghymru
gan Y Lolfa Cyf., Talybont, Ceredigion SY24 5HE
gwefan www.ylolfa.com
e-bost ylolfa@ylolfa.com
ffôn 01970 832 304
ffacs 832 782

Cynnwys

Cymru
Bangor
Wrecsam
Aberystwyth
Abertawe
Caerdydd

HOKKAIDŌ
Sapporo
Gogledd Korea
Kushiro
Hakodate
Aomori
HONSHU
Akita
Morioka
Miyako
Niigata
Seoul
Afon Shinano
Sendai
De Korea
Nagano
Fukushima
Nagoya
Mito
Kyōto
Tokyo
Hiroshima
Kōbe
Llyn Biwa
Fukuoka
Yokohama
Mynydd Fuji
Osaka
Nagasaki
Kochi
SHIKOKU
Miyazaki
Japan
Kagoshima
KYUSHU

CANTRE'R GWAELOD

Ar ôl y sioc o weld ton mor enfawr, gorweddodd Arawn a'i dad yn yr haul i sychu.
WYT TI'N GWYBOD BOD GWLAD GYFAN YN ARFER BOD YMA, AMSER MAITH YN ÔL? OND CAFODD EI BODDI GAN DON ANFERTH.
BE? FEL Y TSWNAMI YN JAPAN?
IE, YN DEBYG IAWN. OND YMA YM MAE CEREDIGION DDIGWYDDODD HYN.
MAE COED O'R WLAD O DAN Y DŴR I'W GWELD YN Y MÔR WEITHIAU.
DDOWN NI'N ÔL RHYW DDIWRNOD PAN FYDD Y LLANW ALLAN.
OND DWED YR HANES NAWR! PLIS, DAD?!

Cymeriadau

Mererid

Gwyddno Garanhir

Seithennyn

Gwyn a Llewelyn

Gwyddno Garanhir oedd brenin Cantre'r Gwaelod. Roedd yn byw mewn palas o'r enw Caer Wyddno. Roedd Cantre'r Gwaelod yn wlad hardd ac roedd bywyd yn braf.

BORE BRAF!
O, DYN NEIS. RY'N NI'N LWCUS I GAEL BRENIN MOR GAREDIG.
YDY, EICH MAWRHYDI!

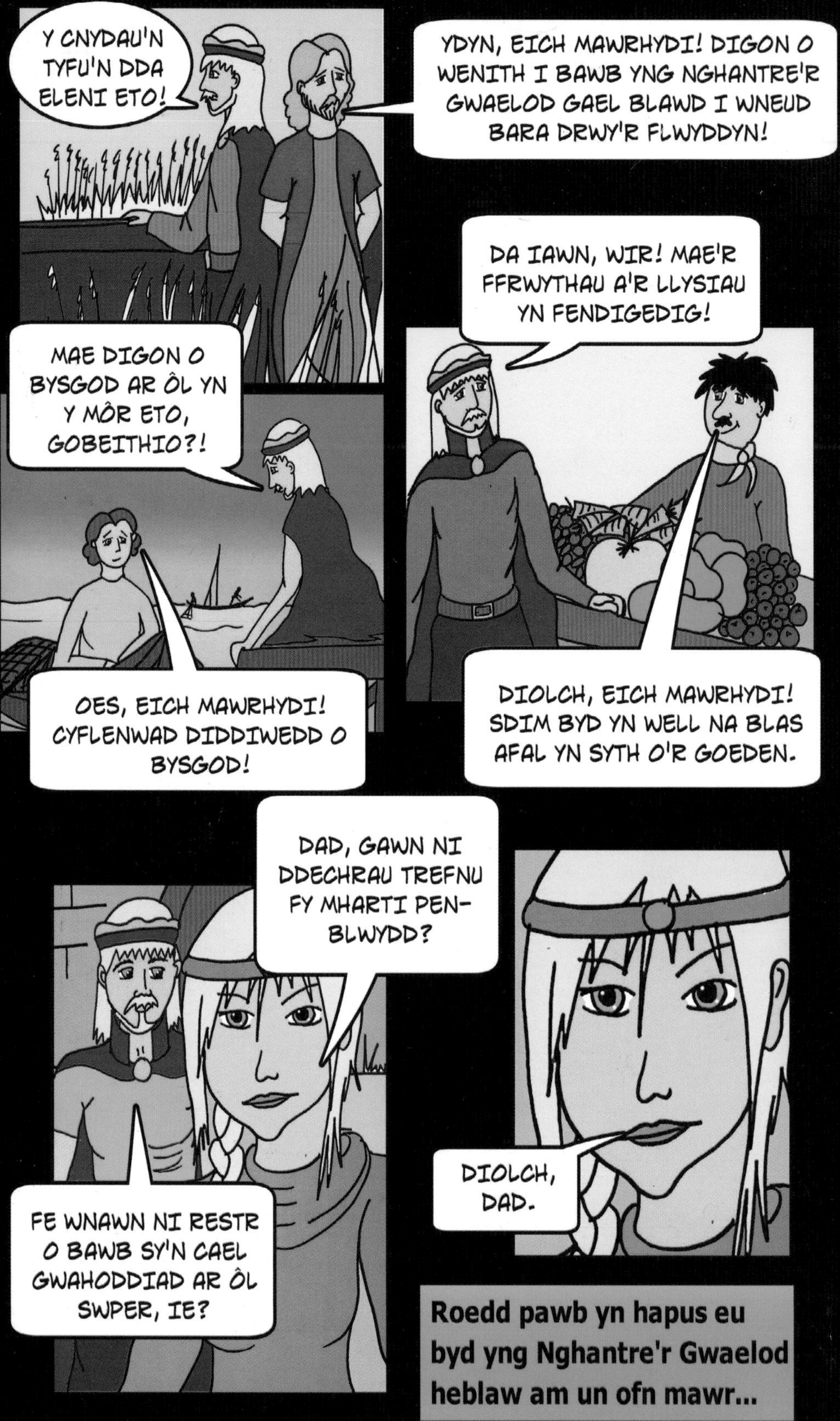
Y CNYDAU'N TYFU'N DDA ELENI ETO!
YDYN, EICH MAWRHYDI! DIGON O WENITH I BAWB YNG NGHANTRE'R GWAELOD GAEL BLAWD I WNEUD BARA DRWY'R FLWYDDYN!
MAE DIGON O BYSGOD AR ÔL YN Y MÔR ETO, GOBEITHIO?!
OES, EICH MAWRHYDI! CYFLENWAD DIDDIWEDD O BYSGOD!
DA IAWN, WIR! MAE'R FFRWYTHAU A'R LLYSIAU YN FENDIGEDIG!
DIOLCH, EICH MAWRHYDI! SDIM BYD YN WELL NA BLAS AFAL YN SYTH O'R GOEDEN.
DAD, GAWN NI DDECHRAU TREFNU FY MHARTI PEN-BLWYDD?
FE WNAWN NI RESTR O BAWB SY'N CAEL GWAHODDIAD AR ÔL SWPER, IE?
DIOLCH, DAD.
Roedd pawb yn hapus eu byd yng Nghantre'r Gwaelod heblaw am un ofn mawr...

... y môr!
Yng Nghantre'r Gwaelod roedd lefel y tir yn is na lefel dŵr y môr felly rhaid oedd gwneud yn siŵr fod y drysau mawr yn y morglawdd yn cael eu cau a'u hagor ddwy waith bob dydd. Seithennyn oedd y prif wyliwr ac roedd ganddo ddau wyliwr arall yn ei helpu.
HEBLAW AMDANAT TI A FI, FYDDE'R WLAD YMA WEDI BODDI ERS AMSER. HEN DDIOGYN YW SEITHENNYN.
TI'N IAWN! ALLWN NI DDIM DIBYNNU AR SEITHENNYN I GADW'R WLAD YMA RHAG BODDI!
Y SWYDD BWYSICAF YN Y WLAD YMA YW GOFALU AM Y MORGLAWDD A CHADW LLYGAD AR Y MÔR.
LWCUS EIN BOD NI'N DAU YN HELPU SEITHENNYN 'TE!
LWCUS EIN BOD NI'N NABOD Y TYWYDD A'R MÔR MOR DDA AC YN NABOD UNRHYW ARWYDD O STORM!
WEDI BLINO WYT TI, SEITHENNYN?
LWCUS NAD OEDD ANGEN CANU CLOCH Y TŴR I RYBUDDIO PAWB FOD STORM AR Y GORWEL 'TE!
YDW. FUES I MEWN PARTI NEITHIWR AC FE AETH HI'N NOSON HWYR IAWN!

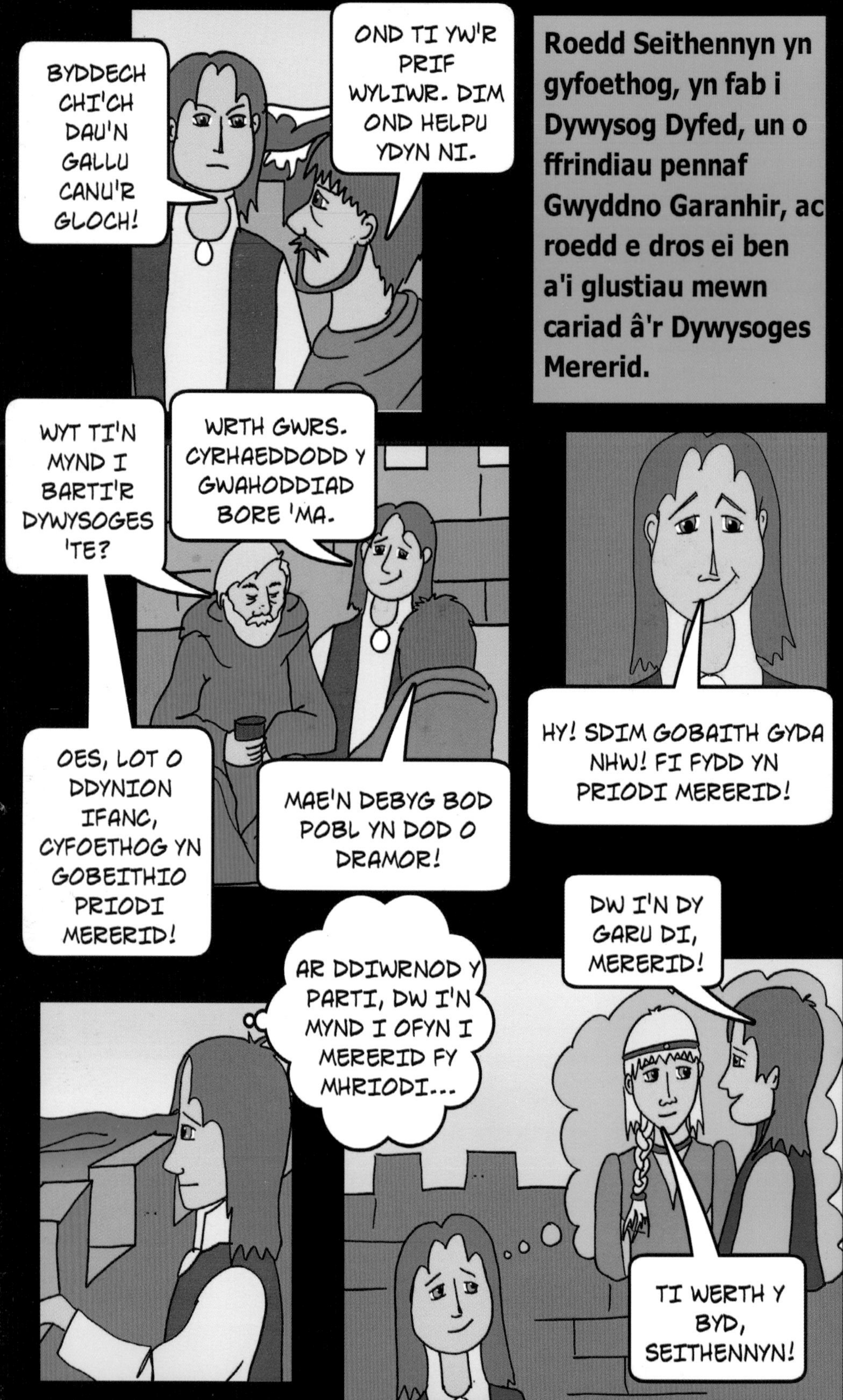
BYDDECH CHI'CH DAU'N GALLU CANU'R GLOCH!
OND TI YW'R PRIF WYLIWR. DIM OND HELPU YDYN NI.
Roedd Seithennyn yn gyfoethog, yn fab i Dywysog Dyfed, un o ffrindiau pennaf Gwyddno Garanhir, ac roedd e dros ei ben a'i glustiau mewn cariad â'r Dywysoges Mererid.
WYT TI'N MYND I BARTI'R DYWYSOGES 'TE?
WRTH GWRS. CYRHAEDDODD Y GWAHODDIAD BORE 'MA.
OES, LOT O DDYNION IFANC, CYFOETHOG YN GOBEITHIO PRIODI MERERID!
MAE'N DEBYG BOD POBL YN DOD O DRAMOR!
HY! SDIM GOBAITH GYDA NHW! FI FYDD YN PRIODI MERERID!
AR DDIWRNOD Y PARTI, DW I'N MYND I OFYN I MERERID FY MHRIODI...
DW I'N DY GARU DI, MERERID!
TI WERTH Y BYD, SEITHENNYN!

Roedd pob pentref yng Nghantre'r Gwaelod yn dathlu pen-blwydd Mererid yn 18 oed oherwydd roedd y teulu brenhinol yn boblogaidd iawn. Roedd hi'n ddiwrnod braf, yr haul yn gwenu a'r awyr yn las a digwmwl.

Draw ym mhalas Caer Wyddno, roedd pawb yn mwynhau eu hunain... yn bwyta'r bwyd gorau,

yn yfed y gwin gorau...

WYT TI'N MWYNHAU'R PARTI?

HWN YDY'R PARTI GORAU I FI FYND IDDO ERS TALWM!

... ac yn dawnsio a chanu.

MERERID, TI YW'R FERCH HARDDAF... DW I'N DY GARU... A WNEI DI FY... O BETH DDWEDA I? PRYD BYDD YR AMSER GORAU?
Roedd telynor wedi cael ei wahodd i'r parti i ganu a chanu'r delyn. Roedd y telynor yn ddall.
GYFEILLION ANNWYL, BYDDWCH DAWEL! STORM SY'N BERWI TUA'R GORWEL.
HA HA! PAID Â BOD YN WIRION!
STORM?
HY! NAC OES, SIŴR! MAE'N DDIWRNOD BRAF.
SEITHENNYN, BETH YW DY FARN DI? OES 'NA STORM AR Y GORWEL?
Ond...

JIW, MAE 'NA GYMYLAU DU IAWN YN AGOSÁU.
MAE STORM FAWR YN DOD CYN NOS, DDWEDWN I.
BYDD RHAID I NI GAU DRYSAU'R MORGLAWDD CYN BO HIR.
Oriau yn ddiweddarach roedd y storm wedi cyrraedd ac wedi troi'n ffyrnig iawn.
WOW, MAE'R MELLT YMA'N AGOS!
DYMA UN O'R STORMYDD GWAETHAF I MI EI GWELD ERIOED!
DDYLEN NI FYND I NÔL SEITHENNYN?
MAE'N RHY HWYR! RHAID I NI WNEUD RHYWBETH AR FRYS. CER DI I GAU'R DRYSAU AC FE AF I I GANU CLOCH Y TŴR!
AAAA!!

Yn ôl yn y palas, roedd Seithennyn wedi magu plwc i ddweud wrth Mererid sut roedd e'n teimlo...

MERERID, DW I'N DY GARU DI. A WNEI DI FY...

DING-DONG!

O! GLYWEST TI GLOCH Y TŴR?

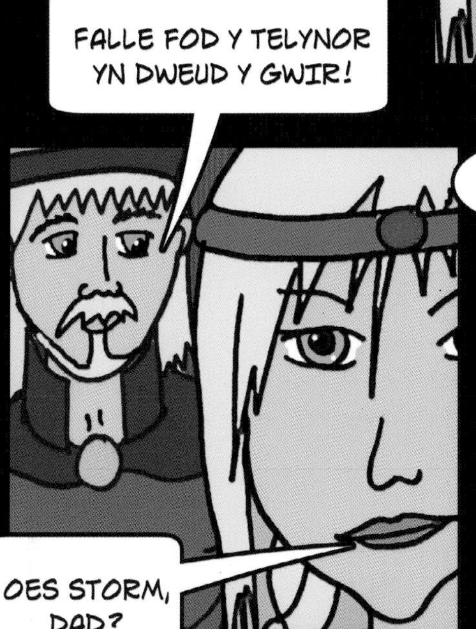

OES STORM, DAD?
FALLE FOD Y TELYNOR YN DWEUD Y GWIR!

OW! MAE'R CYFLE WEDI MYND NAWR!

Roedd pawb yn y parti yn poeni ac mewn panig llwyr!

Roedd y tonnau cryf erbyn hyn wedi torri dros y morglawdd ac yn llifo drwy'r drysau yn gyflym iawn gan orchuddio'r tir.

DYMA'R STORM WAETHAF ERIOED! YDY GWYN YN IAWN, TYBED? DYW E DDIM WEDI CAU'R DRWS! ALLA I DDIM GWNEUD MWY! DW I WEDI CANU'R GLOCH I RYBUDDIO PAWB! MAE HYN YN DRYCHINEB!

Ac o dipyn i beth, llifodd y môr i mewn dros y tir a boddi Cantre'r Gwaelod.

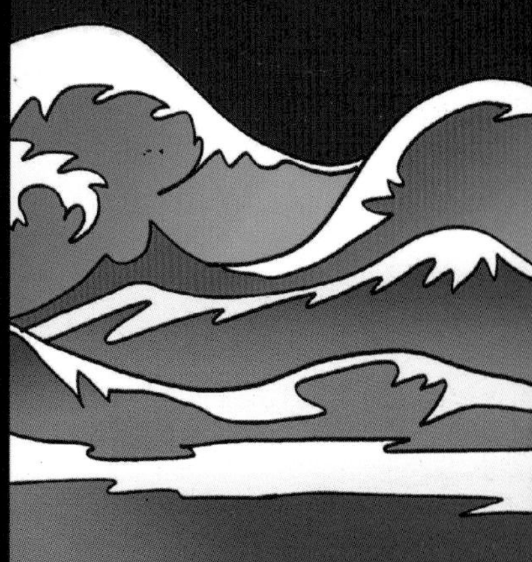

Suddodd 16 o bentrefi o dan y môr a'i donnau. Llwyddodd rhai i ddianc i'r bryniau ond roedd nifer o deuluoedd wedi colli tai a phopeth oedd ganddyn nhw. Daeth eu hofn mwyaf yn fyw o flaen eu llygaid.

Aeth Cantre'r Gwaelod o dan y môr ym Mae Ceredigion yn y flwyddyn 600. Mae rhai yn credu taw tswnami nerthol a achosodd i'r wlad foddi.

FY NGWLAD HARDD, FFRWYTHLON, LLAWN CNYDAU A BLODAU, WEDI MYND AM BYTH.

Byddai Gwyddno'n mynd i lan y môr yn aml, wedi torri'i galon ac yn hiraethu am ei hen wlad.

Cafodd Mererid a Seithennyn eu hachub hefyd. Symudon nhw i fyw i ogledd Cymru a dechrau bywyd newydd. Ond roedd y palas a bywyd Cantre'r Gwaelod yn dal i godi hiraeth mawr ar y ddau.

Cantre'r Gwaelod

O dan y môr a'i donnau
Mae llawer dinas dlos,
Fu'n gwrando ar y clychau
Yn canu gyda'r nos.
Trwy ofer esgeulustod
Y gwyliwr ar y tŵr,
Aeth clychau Cantre'r Gwaelod
O'r golwg dan y dŵr.

Tswnami Japan

Beth yw tswnami?

Tswnami yw cyfres o donnau enfawr yn y môr. Weithiau mae daeargryn, tirlithriad, neu losgfynydd yn ffrwydro yn gallu effeithio ar y môr. Mae hynny'n gallu achosi tonnau anferth, rhai uchel a hir, a thonnau sy'n teithio ar gyflymder anhygoel o 800km yr awr (mae car cyflym yn teithio tua 100km yr awr!). Pan fydd tswnami yn cyrraedd arfordir ac yn taro tir mae'r effaith yn ddychrynllyd.

Cymeriadau

Fumi, 10 oed

Mam Fumi

Tad Fumi

Masaki – brawd Fumi

Towa

Dydd Gwener, Mawrth 11, 2011

Tref glan y môr Miyako yn ardal Iwate, ar arfordir gogledd Japan, lle mae Fumi a'i theulu'n byw.

BWYTA DY UWD REIS I TI GAEL TYFU'N GRYF FEL FI!

DERE, FUMI FACH, NEU BYDDI DI'N HWYR!

IAWN, IAWN!

WELA I CHI PNAWN 'MA!

COFIA FYND Â TOWA AM DRO AR ÔL YSGOL!

WRTH GWRS, DAD. FE AWN NI I LAWR I'R TRAETH, FEL ARFER.

HAIA, KEIKO! TI ISIE DOD I'R TRAETH AR ÔL YSGOL?
GRÊT! AWN NI Â BWYD GYDA NI!

10:00
BETH FYDDWCH CHI'N EI WNEUD DROS Y PENWYTHNOS, BLANT?
MYND I WELD MAM-GU.
MYND I'R TRAETH I ADEILADU CASTELL TYWOD.
CANU CARIOCI HEFYD!
MYND YN Y CWCH PYSGOTA GYDA DAD.
GWNEUD ORIGAMI GYDA MAM!
MYND Â'R CI AM DRO I LAN Y MÔR.

2:46

Allan ar y môr roedd llongau pysgota mewn trafferth, yn cael eu hyrddio gan don anferth.

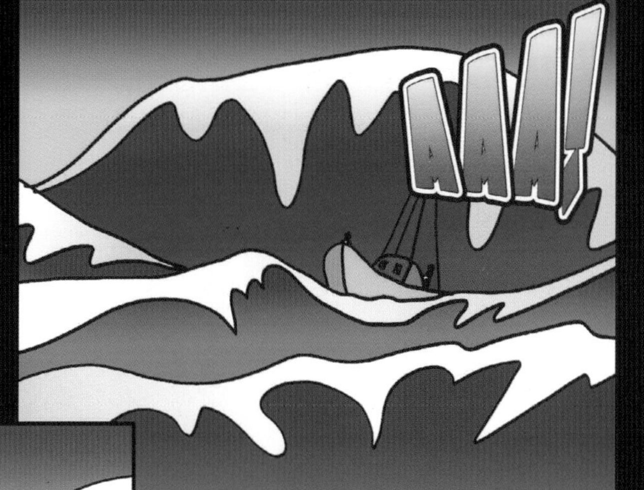

AAA!

O NA!

3:38

SŴN SEIREN TSWNAMI ETO!
YMARFER TSWNAMI ARALL?
OND GAWSON NI YMARFER BORE DDOE!

Gan fod ynysoedd Japan wedi cael tswnamis yn y gorffennol, roedd ymarfer ar gyfer trychineb yn rhan o'u bywydau.

REIT! PAWB O DAN Y DESGIAU!

BETH YW'R SŴN RYMBLO 'NA?
TI'N MEDDWL BOD TSWNAMI GO IAWN?

Ond wrth i'r amser fynd yn ei flaen,
roedd pethau'n mynd yn waeth...
MAE POPETH YN CRYNU!
PAWB I'R GAMPFA, YN GYFLYM! GWISGWCH EICH HELMEDAU!
DW I'N CASÁU GWISGO HWN! MAE'N DRWM.
MAE HWN YN RHY FACH I FI. MAE'N RHY DYNN!
GOBEITHIO CAWN NI EU TYNNU NHW CYN BO HIR.

Yn ôl yn nhŷ Fumi, roedd ei mam hefyd yn teimlo'r cryndod.

O NA! BETH SY'N DIGWYDD? DAEARGRYN, TYBED?

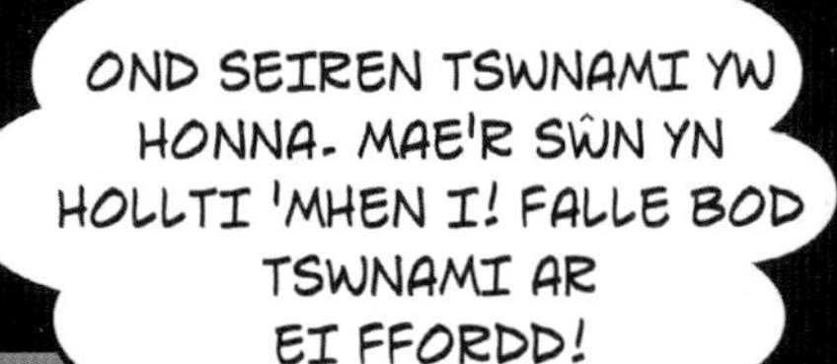

OND SEIREN TSWNAMI YW HONNA. MAE'R SŴN YN HOLLTI 'MHEN I! FALLE BOD TSWNAMI AR EI FFORDD!

AAA! TON ANFERTH! MAE'N SWNIO FEL TRÊN!

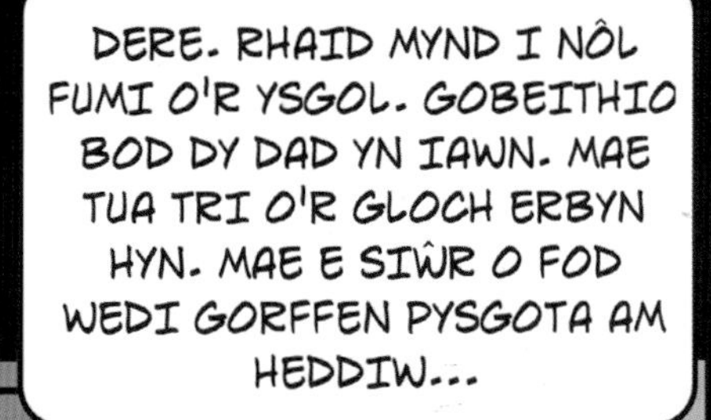

DERE. RHAID MYND I NÔL FUMI O'R YSGOL. GOBEITHIO BOD DY DAD YN IAWN. MAE TUA TRI O'R GLOCH ERBYN HYN. MAE E SIŴR O FOD WEDI GORFFEN PYSGOTA AM HEDDIW...

Yn yr ysgol roedd y plant i gyd yn eistedd mewn rhesi taclus ar lawr y gampfa yn aros am wybodaeth. Beth oedd yn mynd i ddigwydd nesaf?

DIOLCH BYTH EIN BOD WEDI TYNNU'N HELMEDAU! OND YDY HI'N SAFF I NI FOD HEBDDYN NHW...?

MAE TSWNAMI ENFAWR AR EI FFORDD, YN ÔL UN O FAMAU'R PLANT AR Y FFÔN.

WELL I NI FYND I DIR UWCH.

REIT, BLANT! PAWB AR EU TRAED A DILYNWCH NI. DEWCH!

Roedd tonnau pwerus y tswnami wedi dechrau teithio'n gyflym iawn dros y dref. Doedd hynny ddim wedi digwydd ers cyn cof.

MAE'R DDAEAR YN CRYNU!

MAE'R SEIREN YN DAL I GANU!

DW I'N METHU CERDDED YN SYTH!

NA FI! AC MAE 'MHEN I'N TROI.

Roedd ceir yn arnofio fel teganau mewn bath...

... a phawb yn ceisio dianc i dir uchel o afael y tonnau peryglus.

Roedd llongau mawr yn cael eu taflu o gwmpas ar y môr...

... ac yn cael eu hyrddio ar y tir. Roedd hi'n olygfa ryfedd iawn.

Roedd coed mawr, cadarn yn cael eu codi a'u sgubo gan nerth y dŵr!

Erbyn hyn roedd rhieni'n cyrraedd yr ysgol ac yn chwilio am eu plant. Dyna falch roedden nhw o weld eu bod wedi dianc i dir uwch! Aeth Fumi a'i mam yn ôl i'r ysgol i siarad â'r swyddogion diogelwch yno.

Doedd Fumi a'i theulu ddim yn cael mynd yn ôl i'w cartref. Doedden nhw ddim yn gwybod a oedd y tŷ'n dal ar ei draed hyd yn oed. Roedd cannoedd o deuluoedd eraill yn yr un sefyllfa â nhw. Roedd rhaid aros mewn campfa tan ei bod hi'n ddiogel iddyn nhw fynd yn ôl i ganol tref Miyako.

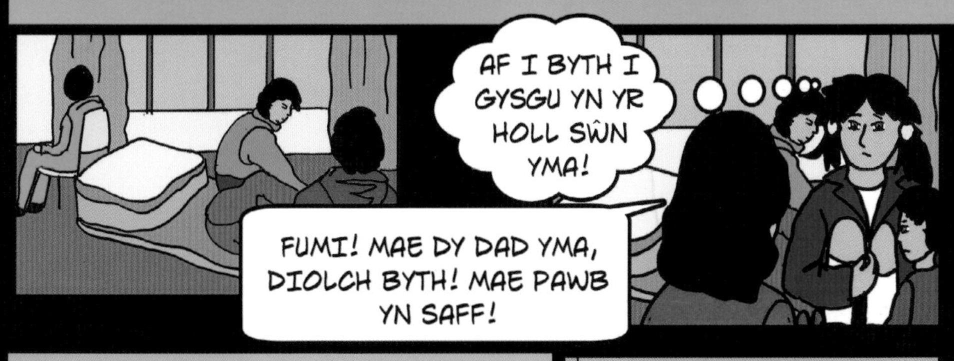

AF I BYTH I GYSGU YN YR HOLL SŴN YMA!
FUMI! MAE DY DAD YMA, DIOLCH BYTH! MAE PAWB YN SAFF!

Roedd rhywun wedi gosod teledu mawr yn y gampfa ac roedd y newyddion am y tswnami yn waeth nag yr oedd unrhyw un wedi ei ddychmygu.

DW I DDIM WEDI GWELD Y FATH BETH ERIOED!
WAW! MAE TREFI ERAILL DAN DDŴR HEFYD, MAM. DRYCHA!

A GOBEITHIO NA WNA I FYTH ETO CHWAITH. MAE HYN YN DRYCHINEB ANFERTH.

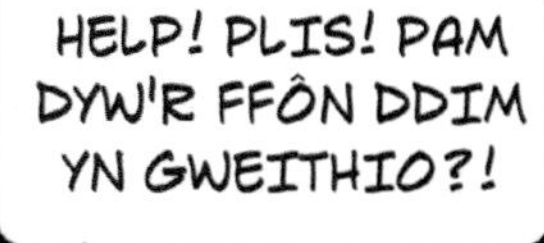

HELP! PLIS! PAM DYW'R FFÔN DDIM YN GWEITHIO?!
HELÔ! DW I LAN FAN HYN! HELP!

MAM, SA I'N HOFFI HYN! PAM MAE POPETH YN CRYNU ETO?

Roedd y cryndod i'w deimlo am oriau wedyn, bob rhyw chwarter awr. Roedd effeithiau'r daeargryn o dan y môr, a achosodd y tswnami, yn dal i godi ofn. Gallai ddinistrio mwy o adeiladau a mwy o fywydau.

SUT YN Y BYD...?

MIYAKO YW HWNNA?

Dim ond ar ôl i'r dŵr ddechrau diflannu y daeth hi'n amlwg fod y rhan fwyaf o'r dref wedi ei dinistrio. Roedd Fumi a'i theulu'n gorfod aros yn y gampfa, ond roedd hi'n gallu gweld ar y teledu faint o niwed oedd wedi cael ei wneud gan y tswnami.

MAM? DAD? BLE YDYCH CHI?

FAN HYN OEDD EIN TŶ NI! MAE STRYD GYFAN O DAI WEDI DIFLANNU! BLE MAE EIN STWFF NI I GYD? A BLE MAE EIN CYMDOGION I GYD?

Roedd y golygfeydd yn afreal. Roedd llong bysgota wedi mynd yn sownd o dan un o bontydd y dref...

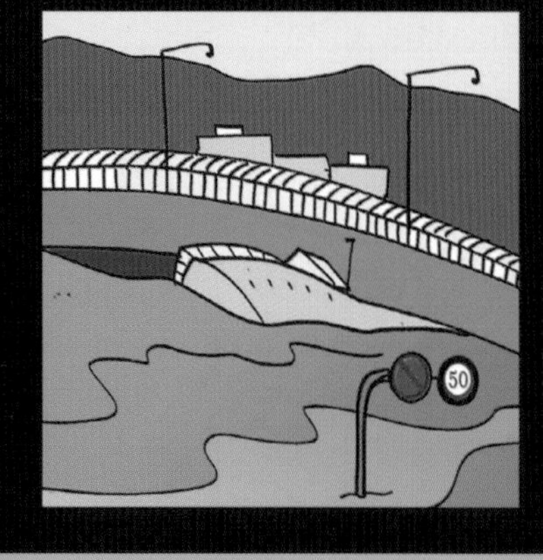

... a thai cyfan wedi cael eu symud a'u troi ben i waered.

Mawrth 14, 2011
Dri diwrnod ar ôl i'r tswnami daro tref Miyako, cafodd y bobl ganiatâd i fynd yn ôl i weld eu tai. Doedd pawb ddim mor lwcus â Fumi. Roedd ei thŷ hi'n dal i fod yno. Roedd hanner adeiladau'r dref wedi diflannu, wedi cael eu chwalu'n deilchion.
MAE'N MYND I GYMRYD WYTHNOSAU I GAEL POPETH YN LÂN AC I DREFN.
YCH, MAE'N DREWI YMA, MAM.
Roedd y don wedi gadael llanast a mwd ym mhob man. Roedd dŵr hyd at eu pengliniau ar y llawr gwaelod i gyd.
RYDYN NI'N LWCUS BOD TŶ GYDA NI, FUMI!
O! BETH YW'R SŴN YNA? TOWA?
O, TOWA! DIOLCH BYTH! OEDDET TI'N GORWEDD YN Y GWELY I GADW'N SYCH?!
BOW WOW!
FYDD PETHE FYTH YR UN FATH YMA ETO. OND DIOLCH I DDUW EIN BOD NI'N FYW!

Lladdwyd tua 400 o bobl Miyako oherwydd y tswnami. Roedd lefel y dŵr wedi codi 38 metr yn uwch na lefel arferol y môr. Roedd un don wedi cyrraedd uchder o 8.5 metr yn Miyako. Mae hynny mor uchel ag adeilad tri llawr.

Cafodd pontydd eu golchi i ffwrdd - gan ei gwneud hi'n anodd iawn i bobl Miyako ddianc yn gyflym ac eraill i gyrraedd y trefi i helpu. Roedd ambell adeilad cyfan wedi ei symud o un pen i'r dref i'r pen arall gan y llif!

Diflannodd pentrefi a choedwigoedd cyfan ar draws gogledd-ddwyrain Japan. Dyma lun o stryd ar ôl y tswnami a'r un stryd flwyddyn yn ddiweddarach.

Mawrth 11, 2012

Flwyddyn ar ôl y drychineb, cynhaliwyd gwasanaethau mewn trefi ar draws Japan. Daeth y wlad i stop ac roedd pawb a phopeth yn dawel.

Roedd lanterni papur yn cael eu rhoi yn y môr ac yn cael eu gadael yn rhydd i'r awyr gyda negeseuon arnyn nhw.

Cafodd canhwyllau eu cynnau hefyd i gofio am y rhai a fu farw.

Rhagfyr 7, 2012

Bu daeargryn arall yn yr un ardal ar y diwrnod hwn. Roedd yn mesur 7.3 ar Raddfa Richter. Pryd fydd yr un nesaf, tybed?

Ffeithiau am tswnami Japan

10	Eithriadol
9	Anhygoel
8	Anferthol
7	Mawr
6	Nodedig
5	Canolig
4	Cymhedrol
3	Bach
2	Isel
1	Dibwys

Roedd y daeargryn yn mesur cryfder 9 ar Raddfa Richter.

Mae rhif 1 ar y Raddfa yn achosi cryndod bach iawn. Mae daeargryn fel hyn yn digwydd rhywle yn y byd bob dydd a dyw pobl ddim yn sylwi ar ei effaith.

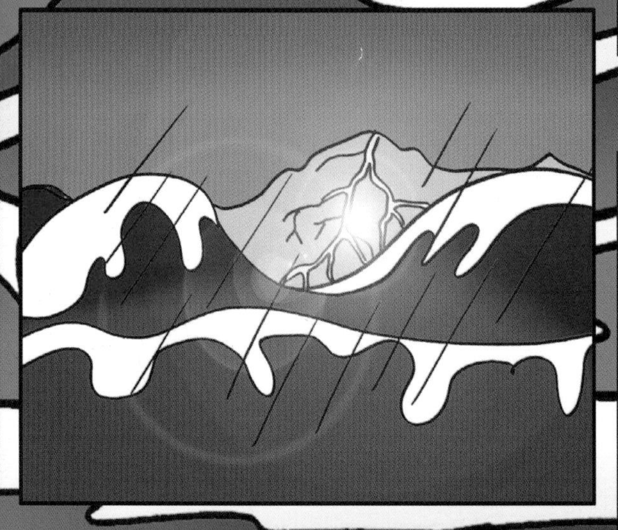

Mae rhif 10 yn digwydd un waith bob mil o flynyddoedd. Mae ei effaith yn dinistrio adeiladau ac mae bywydau pobl mewn perygl mawr.

Dros 1000 o ôl-gryniadau
(80 yn mesur 6 ar Raddfa Richter).

16,000 wedi marw.

3,000 o bobl yn dal ar goll.

340,000 yn dal i fod heb gartref parhaol.

130,000 o adeiladau wedi eu dinistrio'n llwyr.

4.5 miliwn o gartrefi heb drydan.

10 mlynedd i ailgodi trefi.

1.5 miliwn heb ddŵr.

Ton yn teithio ar gyflymder o 500 milltir yr awr - mor gyflym ag awyren jet!

Mae moto-beic o Japan wedi cael ei olchi i'r lan ar draeth yng Nghanada!

Torrodd darn anferth o fynydd iâ yn yr Antarctica, dros 8,000 o filltiroedd i ffwrdd.

Rhagfyr 26, 2004

TSWNAMIS ERAILL

Digwyddodd tswnami Dydd San Steffan ar draws 14 o wledydd ar lan Cefnfor India.

RHYFEDD CAEL NADOLIG MEWN TYWYDD POETH!
AC FE DDAETH SIÔN CORN!
OND ROEDD Y TWRCI'N FLASUS IAWN!
WAW! TON!
NID TON GYFFREDIN YW HON...

Lladdwyd dros 230,000 o bobl (y rhan fwyaf wedi boddi) ar ôl y daeargryn yn Indonesia, a oedd yn mesur 9.3 ar Raddfa Richter. Doedd dim seiren tswnami wedi canu. Cafodd pawb eu dal heb rybudd a chymaint o bobl eu lladd oherwydd eu bod wedi mynd i'r traethau i weld tonnau'r tswnami.

Yn 2012 cafodd ffilm o'r enw *The Impossible* ei gwneud am y drychineb.

Bydd Nadolig yn dod ag atgofion poenus bob blwyddyn i'r rhan hon o'r byd.

Digwyddodd y tswnami uchaf erioed ar Orffennaf 9, 1958. Roedd ton o 524 metr wedi ei mesur ar ôl y daeargryn (7.9 ar Raddfa Richter) ym Mae Lituya, Alaska, Gogledd America. Mae hynny dros 100 metr yn uwch na'r Empire State Building yn Efrog Newydd! Achosodd y daeargryn i'r tir a'r rhewlifau lithro a chwympo i'r môr.

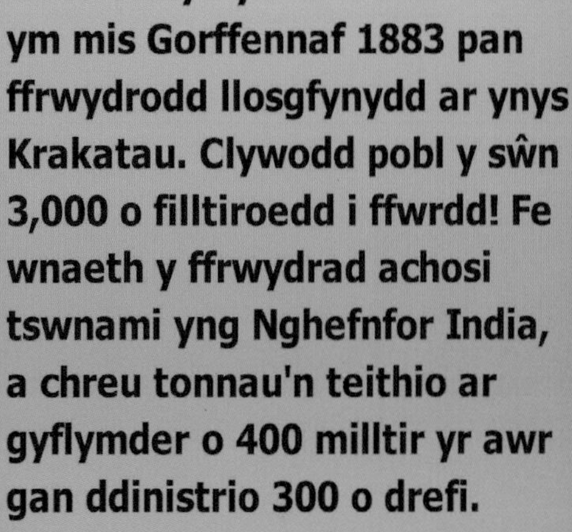

Recordiwyd y sŵn uchaf erioed ym mis Gorffennaf 1883 pan ffrwydrodd llosgfynydd ar ynys Krakatau. Clywodd pobl y sŵn 3,000 o filltiroedd i ffwrdd! Fe wnaeth y ffrwydrad achosi tswnami yng Nghefnfor India, a chreu tonnau'n teithio ar gyflymder o 400 milltir yr awr gan ddinistrio 300 o drefi.

Lladdwyd tua 40,000 gan tswnami yn dilyn daeargryn ym Môr De China yn 1782. Teithiodd y don 120 cilomedr i mewn i'r tir gan ddinistrio pentrefi cyfan.

Mor bell yn ôl â'r flwyddyn 365, achosodd daeargryn tswnami anferth a ddinistriodd dref bwysig Alexandria a phentrefi ar hyd Môr y Canoldir yn Ewrop. Lladdwyd miloedd o bobl a hyrddiwyd llongau hyd at ddwy filltir i mewn i'r tir.

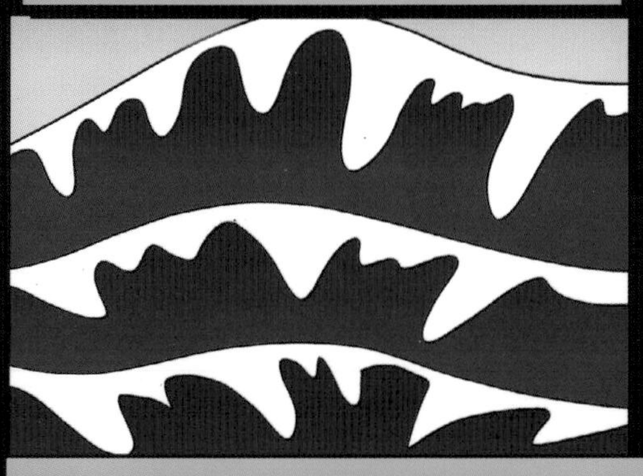

Yn nes at adre, achosodd daeargryn dair ton anferthol a laddodd 60,000 o bobl ym Mhortiwgal, Sbaen a Moroco yn 1755.

Sgwn i ai rhywbeth tebyg ddigwyddodd yng Nghantre'r Gwaelod?

Am Dywydd!

Storm

Mae storm o fellt a tharanau yn gallu bod yn frawychus ac yn ddramatig.

Mae storm o law trwm yn gallu achosi llifogydd ac mae hynny'n ddrwg i'r amgylchedd.

Mae bws yn gallu arnofio mewn dim ond 50cm o ddŵr ar y ffordd. Dyna pam mae ffyrdd yn cael eu cau pan fydd llifogydd. Gall dim ond 15cm o ddŵr cyflym daro person i'r llawr!

Cafodd yr Empire State Building ei daro gan fellten 9 gwaith mewn 20 munud!

Cafodd Roy Sullivan, o America, ei daro gan fellten saith gwaith yn ystod ei fywyd! Pwy ddywedodd taw gan gathod mae naw bywyd?!

Mae rhai pobl yn America – *storm chasers* – yn treulio wythnosau bob blwyddyn yn rhedeg ar ôl stormydd, corwyntoedd a throwyntoedd. WIR!

Mae *storm chasers* yn teithio miloedd o filltiroedd er mwyn cael y profiad a'r wefr. Mae bod ynghanol stormydd fel hyn yn beryglus iawn, wrth gwrs.

Mae rhai hyd yn oed yn mynd ar ôl stormydd mewn hofrennydd ac awyrennau bach. Mae rhaglenni teledu a ffilmiau fel *Twister* amdanyn nhw yn boblogaidd iawn.

Dyma gerbyd o'r enw 'The Dominator', sy'n cael ei ddefnyddio yn y gyfres *Storm Chasers* ar sianel deledu Discovery.

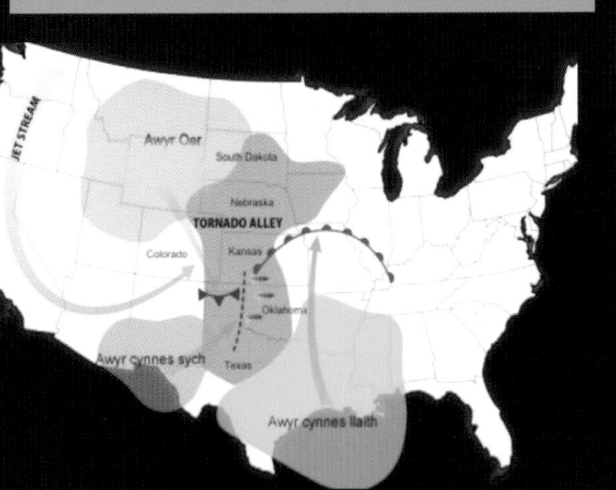

Mis Mai a mis Mehefin yw'r amser gorau i wneud hyn yn America a Chanada, mewn ardal enfawr sy'n cael ei galw'n Tornado Alley.

Trowynt

Ydych chi wedi gweld y ffilm *The Wizard of Oz*? Mae Dorothy a Toto'r ci'n cael eu sugno i fyny i Wlad yr Oz gan drowynt mawr.

Mae trowynt yn digwydd pan fydd colofn hir o wynt yn troi'n gyflym ac yn ymestyn o gymylau'r storm yn yr awyr hyd at y llawr.

Mae trowynt yn gallu teithio hyd at 300 milltir yr awr a dinistrio popeth sydd yn ei lwybr. Gall godi coed o'u gwreiddiau a thaflu ceir ac anifeiliaid i'r awyr a'u gollwng filltiroedd i ffwrdd!

Yn 2012 bu dros 500 trowynt yn America o fewn 2 fis a lladdwyd bron 500 o bobl.

FIRST PICTURES OF STORM DISASTE

HERALD EXAMINER

,000 DEAD, 3,000 HURT LATEST TO OF TORNA

In the Twinkling of an Eye, Murphysboro Was No M

Bu'r trowynt gwaethaf erioed yn y Tri-State Tornado ar Fawrth 18, 1925. Chwyrlïodd y trowynt am 219 milltir ar hyd taleithiau Missouri, Illinois ac Indiana gan ladd tua mil o bobl ac anafu miloedd. Bu naw trowynt arall ar yr un diwrnod.

Corwynt

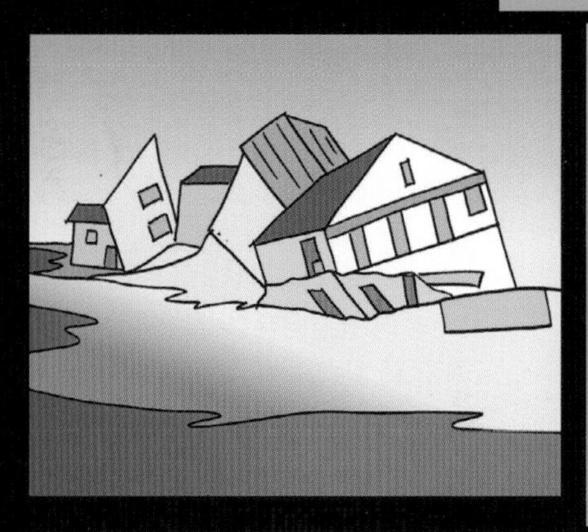

Bu storm anferth yn America ar 30 Hydref, 2012 a daeth llifogydd, gwyntoedd ac eira yn sgil Superstorm Sandy. Effaith cynhesu byd-eang yw tywydd eithafol fel hyn. Dyna'r corwynt mwyaf erioed a lladdwyd 253 o bobl mewn saith gwlad.

Mae corwynt yn ffurfio uwchben y môr ac yn teithio ar hyd yr arfordir ac i mewn dros y tir.

Mae gwyntoedd cryf yn troelli'n wrth-glocwedd, glaw trwm, mellt a tharanau a thonnau enfawr yn achosi dinistr mawr.

Ar ôl i'r corwynt gyrraedd y tir, mae'n dechrau tawelu ac yn diflannu'n raddol.

Mae 21 o enwau gwahanol yn cael eu rhoi ar gorwyntoedd ac mae'r rheini'n cael eu defnyddio bob chwe blynedd. Mae enw merch a bachgen am yn ail. Bydd rhai 2013 yn cael eu defnyddio eto yn 2019 - Alvin, Barbara, Cosme, Dalila, Erick, Flossie...

Sychder

DIM GLAW ELENI ETO. BE WNAWN NI AM FWYD?

Dyma un o effeithiau cynhesu byd-eang. Mae gwledydd Affrica wedi bod yn dioddef o sychder mawr ers blynyddoedd ond mae hyn yn dod yn fwy cyffredin mewn gwledydd eraill ar draws y byd. Mae mwy o bobl yn marw oherwydd gwres a sychder nag oherwydd llifogydd, gwyntoedd a stormydd.

Mae cnydau yn marw felly does dim bwyd ar gyfer yr anifeiliaid na'r bobl.

Mae afonydd yn sychu...

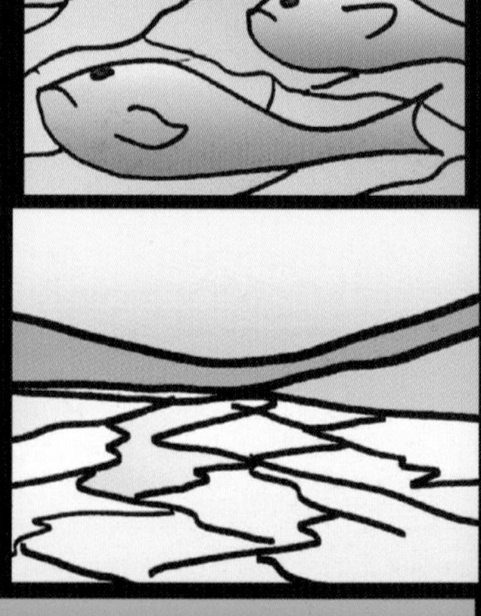

... ac mae tanau yn lledaenu'n gyflym ac yn lladd anifeiliaid a bwyd.

Doedd dim glaw yn Arica, Chile rhwng 1903 ac 1918 - dros 14 mlynedd!

Anialwch y Sahara yw un o'r llefydd sychaf a mwyaf yn y byd. Mae'r twyni tywod yno mor ddwfn â 180 metr mewn mannau. Does dim llawer o gnydau'n tyfu yno na llawer o anifeiliaid yn byw yno chwaith.

Ond mae lluniau wedi cael eu darganfod mewn ogofâu o 9,000 o flynyddoedd yn ôl, yn dangos afonydd, caeau gwyrdd a phobl yn hela!

Mae hynny'n record!
Ble mae'r eli haul?
Y tymheredd uchaf erioed yng Nghymru yw 35.2°C...
... ond yn Libya mae wedi cyrraedd mor uchel â 57.8°C!

Www, mae'n oer!
Yn Rhaeadr, Powys cyrhaeddodd y tymheredd -23.3°C...
... ond ym Mhegwn y De aeth mor isel â -89.2°C! Druan â'r pengwiniaid bach!

Dal yn dynn!
Yn Y Rhws, Bro Morgannwg yn 1989 chwythodd cwthwm o wynt ar gyflymder o 124 m.y.a...
...ond yn 1999 yn Oklahoma, America roedd mor gryf â 301 m.y.a! Tywydd da i sychu dillad!

Eira

Mae gan bob pluen eira chwe ochr ond mae pob un bluen yn hollol unigryw. Fe wnaeth y gwyddonydd J. Wilson Bentley dynnu llun 10,000 o blu a doedd dim dwy yr un fath â'i gilydd!

Mae'r record am yr eira dyfnaf erioed wedi cael ei gofnodi yn Tamarack, California, sef 11.5 metr ar 11 Mawrth, 1911.

Roedd y bluen eira fwyaf erioed yn mesur 38cm o un pen i'r llall, yn Montana, America yn 1887!

Roedd un belen o gesair wedi pwyso 1kg yn Bangladesh yn 1986. Awtsh!

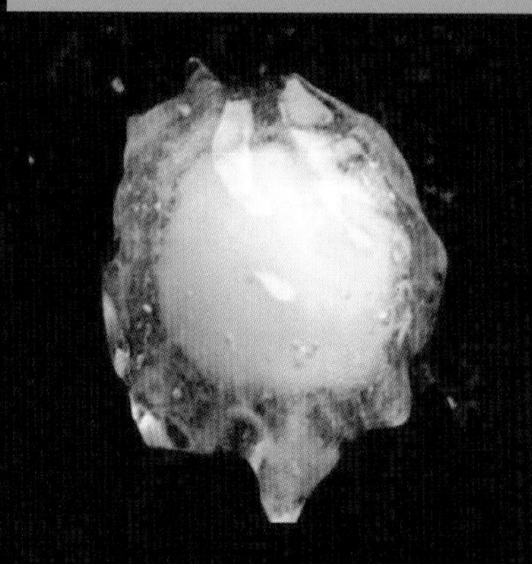

Byd Natur Rhyfeddol

Mae tywydd eithafol yn brin. Ond wrth i'r byd gynhesu, mae'r tywydd yn newid. Mae carbon deuocsid (CO_2) o'r ceir a'r ffatrïoedd ar draws y byd yn cadw'r gwres ar arwynebedd y Ddaear. Mae mwy o wres yn achosi mwy o egni ac mae mwy o egni yn yr atmosffer yn achosi tywydd eithafol. Mae tywydd eithafol yn creu pethau anhygoel ac anarferol yn y byd.

Mae pili-palod yn dibynnu ar wres. Pe bai'r tymheredd yn oer, fyddai pili-palod ddim yn gallu symud na bwyta neithdar o'r blodau.

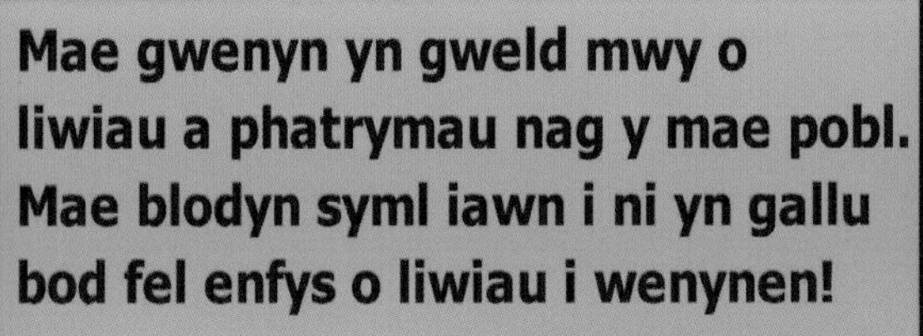

Mae gwenyn yn gweld mwy o liwiau a phatrymau nag y mae pobl. Mae blodyn syml iawn i ni yn gallu bod fel enfys o liwiau i wenynen!

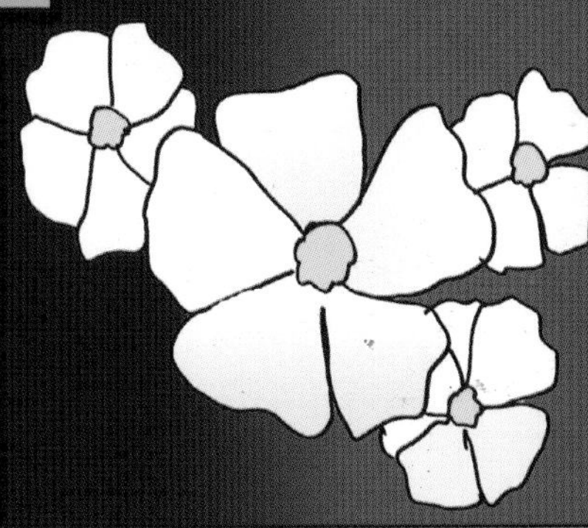

Mae arogl cryfach gan flodyn gwyn na blodyn tebyg o liw arall.

Y blodyn mwyaf yn y byd yw'r titan arums sydd dros 3m o hyd ac 1m o led! Mae iddo oglau cas fel corff yn pydru ac mae'n cael ei alw weithiau'n flodyn corff, neu'n ddeintlys cennog.

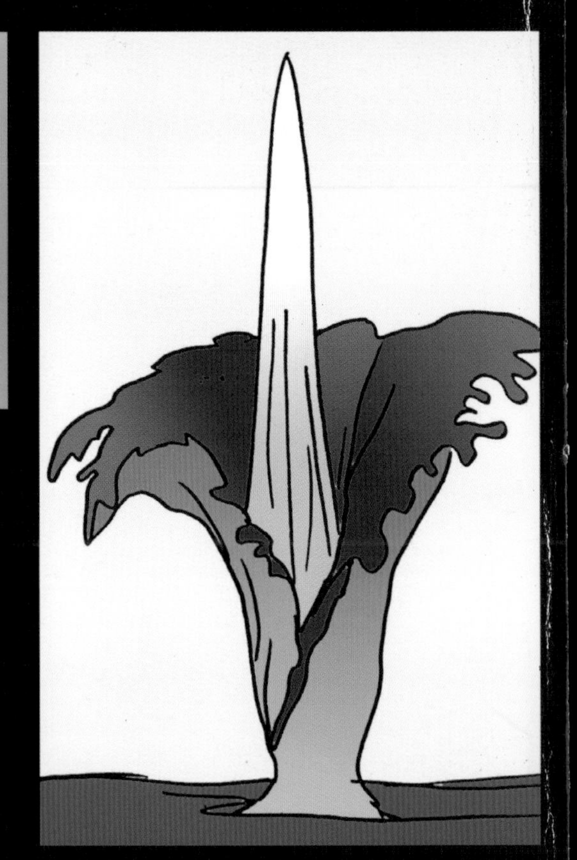

Mae'r blodyn Wolffia mor fach, byddai 12 ohonyn nhw'n ffitio ar dop pin! Maen nhw'n tyfu ar wyneb pyllau a nentydd yn Awstralia a Malaysia. O, ciwt!

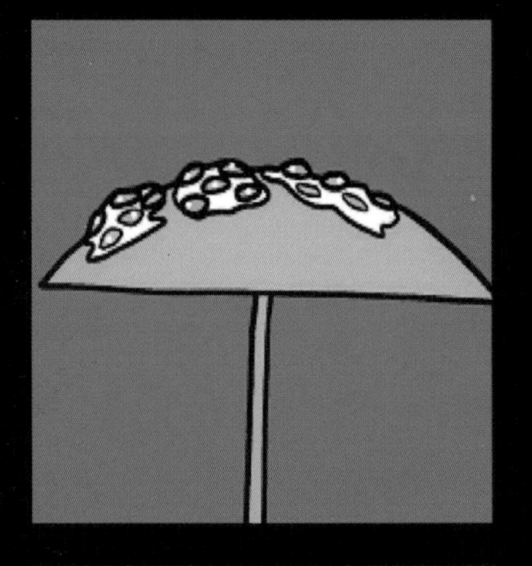

Mae blodyn coch yr ŷd (Scarlet Pimpernel) yn rhag-weld y tywydd. Os yw'r petalau wedi cau, mae glaw ar ei ffordd, a bydd tywydd sych os yw'r blodyn ar agor.

Dant y llew yw'r blodyn sy'n cynrychioli'r haul, y lleuad a'r sêr. Mae'r un melyn yn symbol o'r haul, y belen o hadau fel lleuad llawn, a'r hadau wedi'u chwythu fel sêr yn yr awyr.

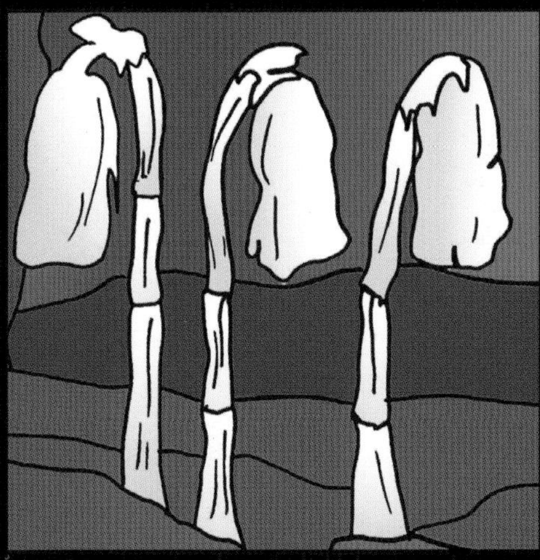

Mae'r blodau ysbryd yma'n torri'n deilchion ac yn troi'n ddu wrth eu cyffwrdd. Dim ond mewn coedwigoedd tywyll, llaith yn America maen nhw'n tyfu. Ych-a-fi!

Beth yn y byd yw'r rhain?

Math o bysgodyn yw un, a madarch yw'r llall, credwch neu beidio! Mae byd natur yn rhyfeddol!

Am restr gyflawn o lyfrau'r Lolfa, mynnwch
gopi o'n catalog newydd, rhad
neu hwyliwch i mewn i'n gwefan

www.ylolfa.com

lle gallwch archebu llyfrau ar lein.

TALYBONT CEREDIGION CYMRU SY24 5HE
ebost ylolfa@ylolfa.com
gwefan www.ylolfa.com
ffôn 01970 832 304
ffacs 832 782